夜叉ヶ池

幻夢宮

SHINSHOKAN

天野喜孝

yoshitaka
AMANO

CONTENTS

海神別荘

海神別荘

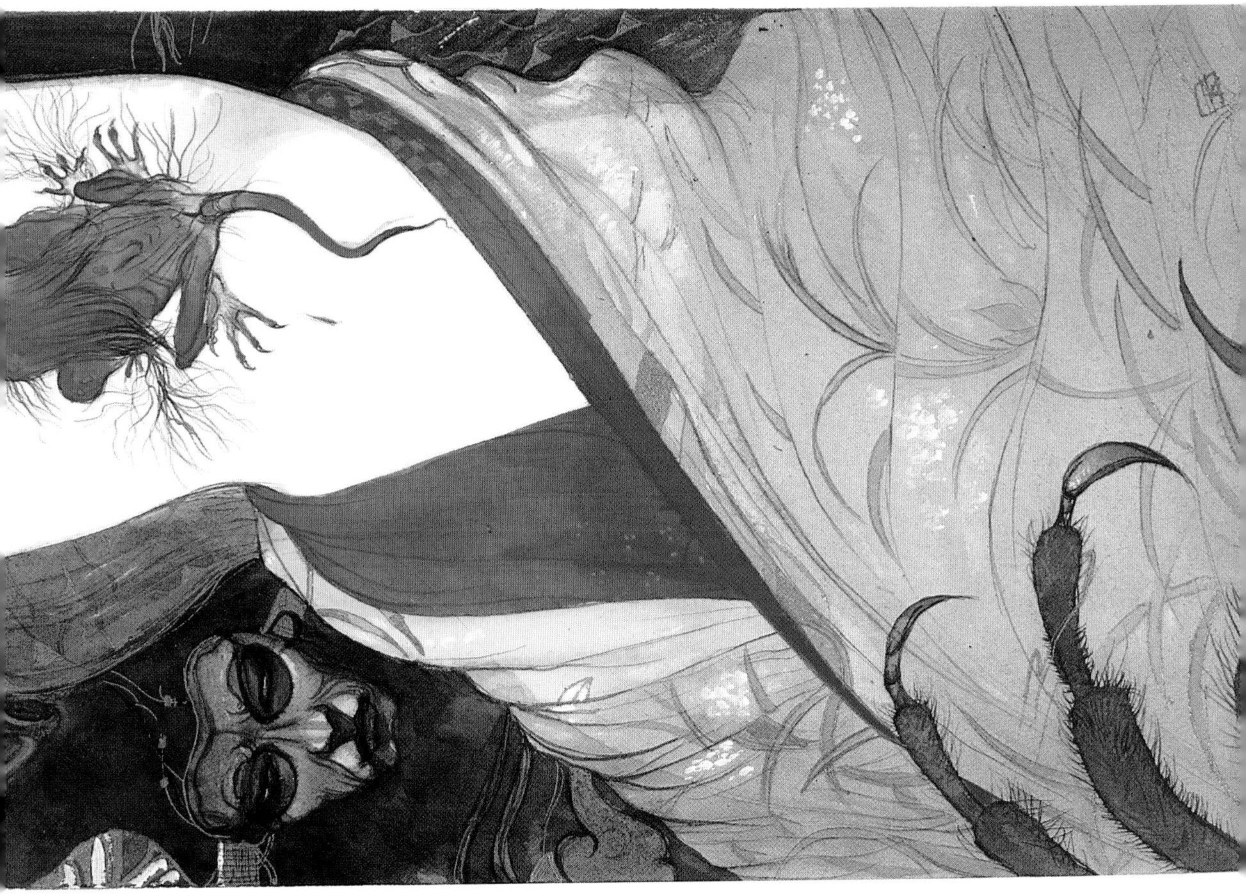

高野聖

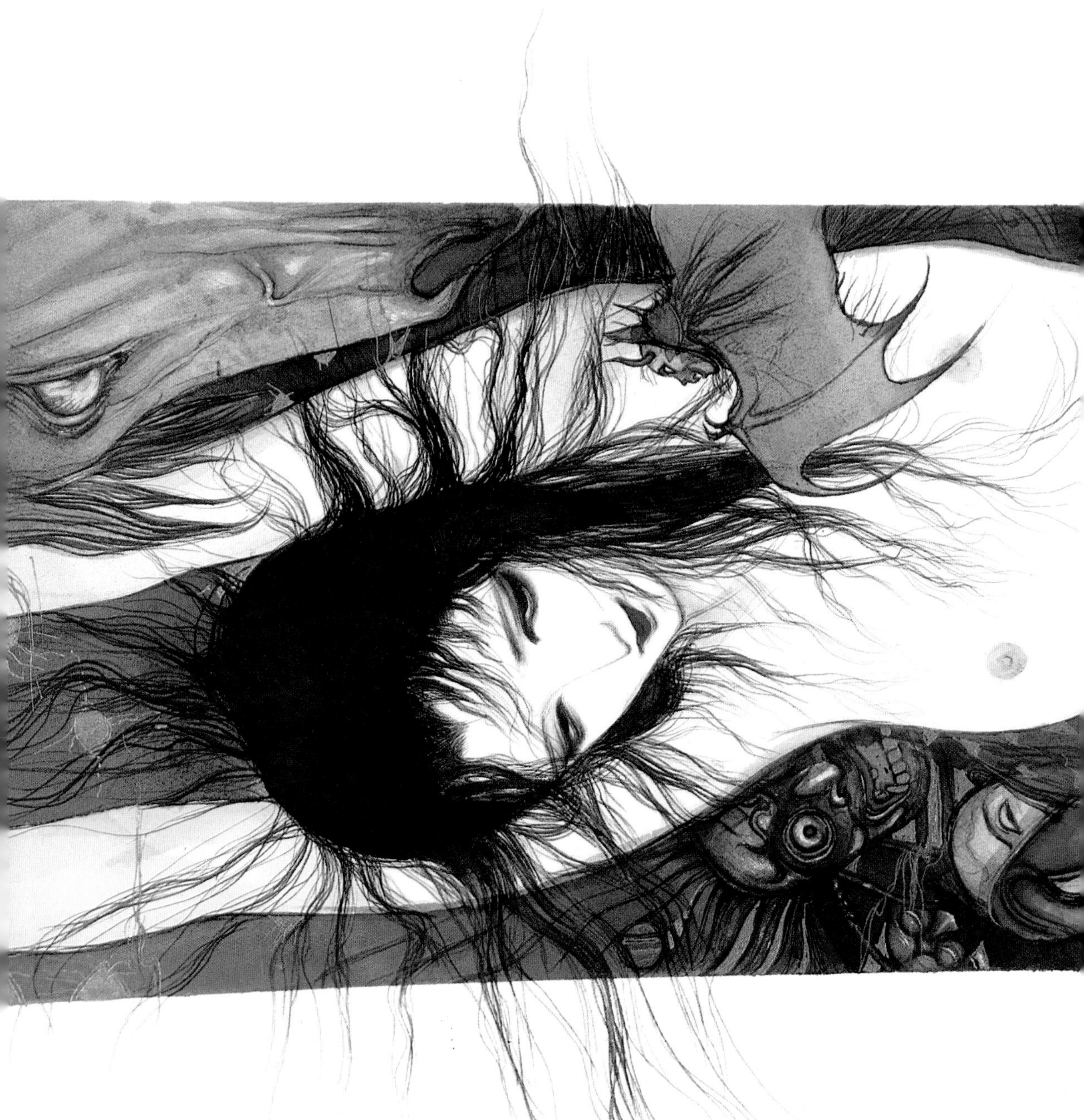

夜叉ヶ池

トリスタンとイゾルデ

◀イゾルデ

この世の彼方の海

妖霊ハーリド

闇の城

吸血鬼ハンター〝D〟

キマイラ吼　久鬼麗一

TWILIGHT WORLDS
誕生

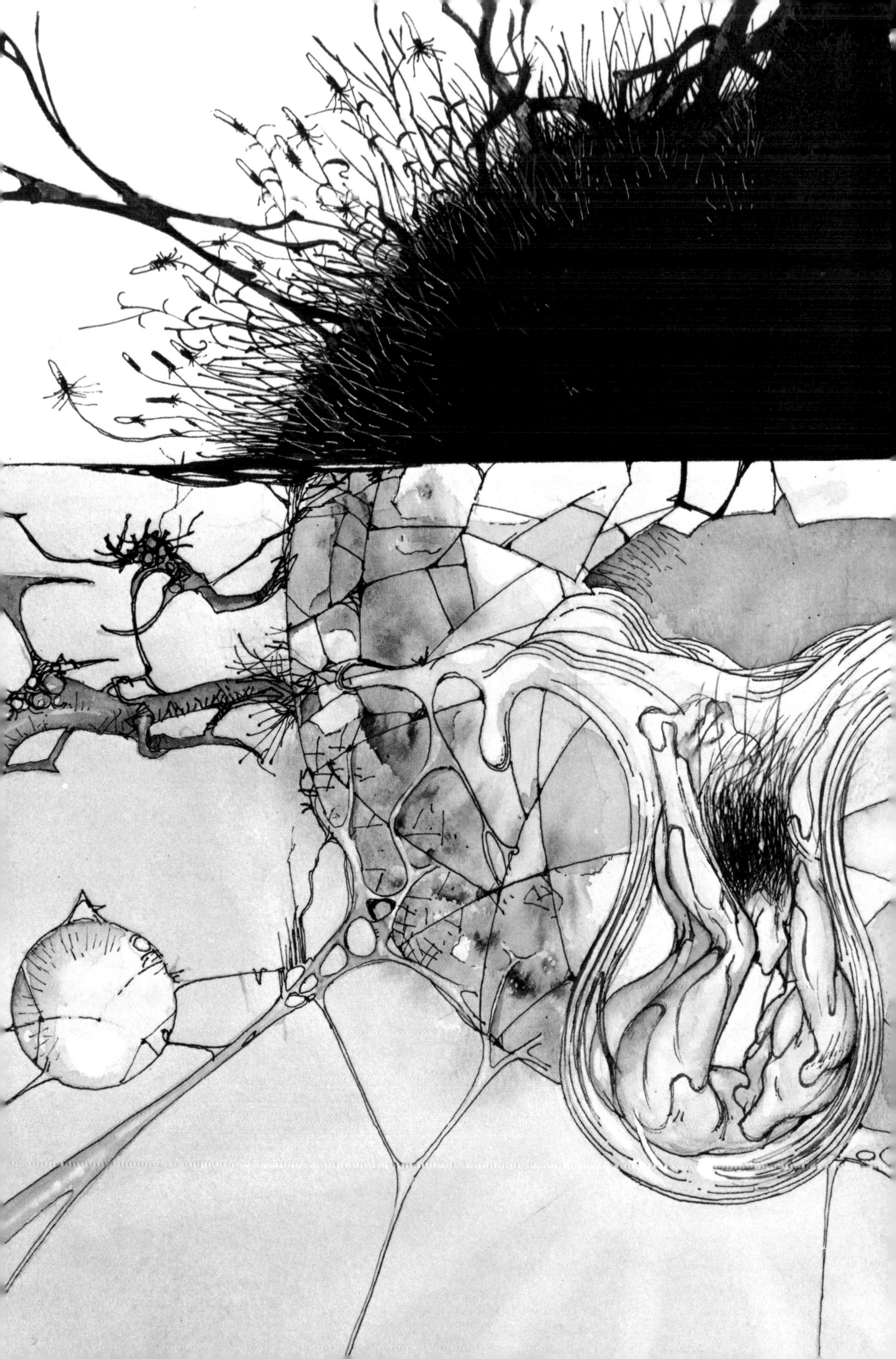

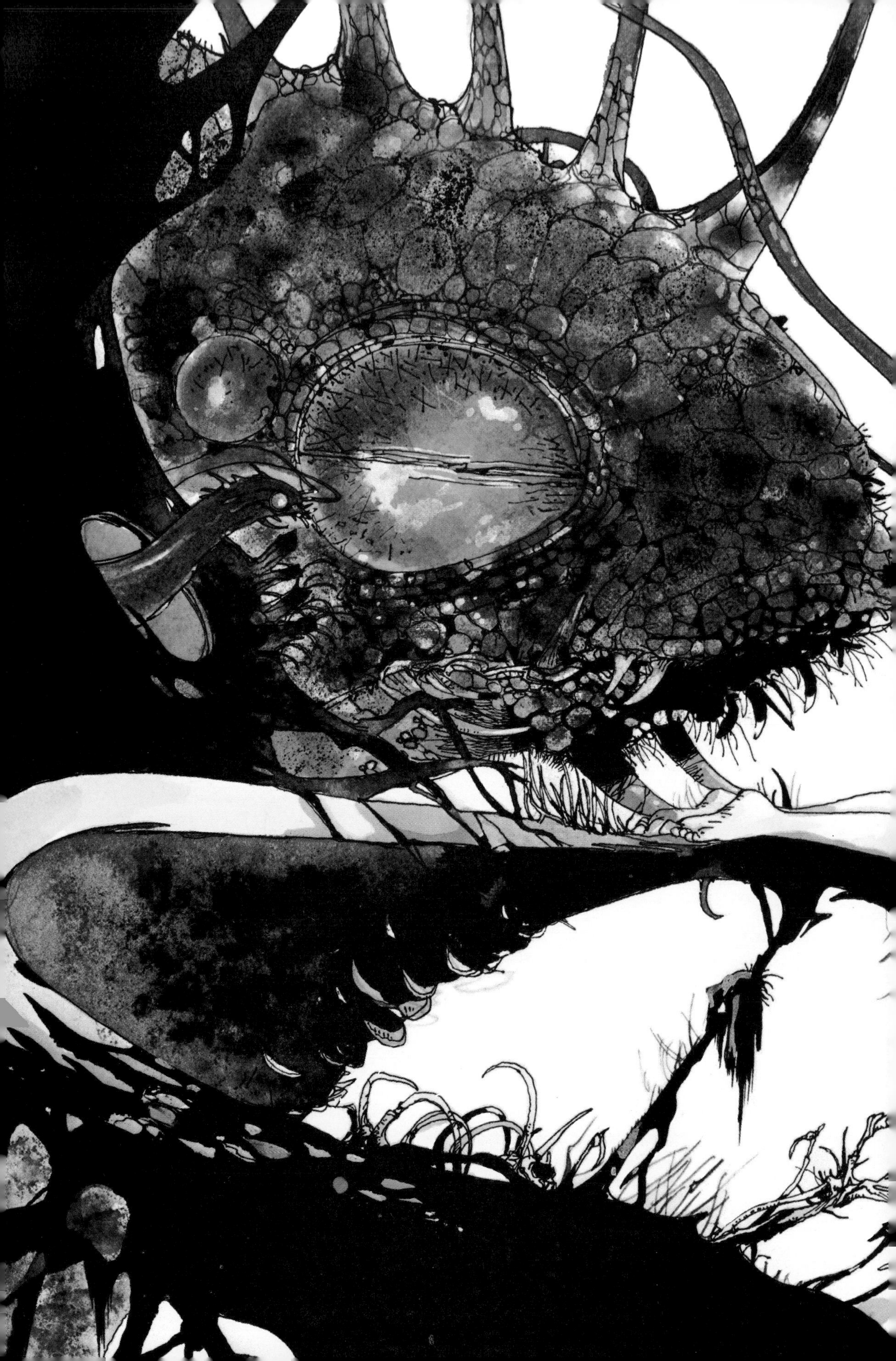

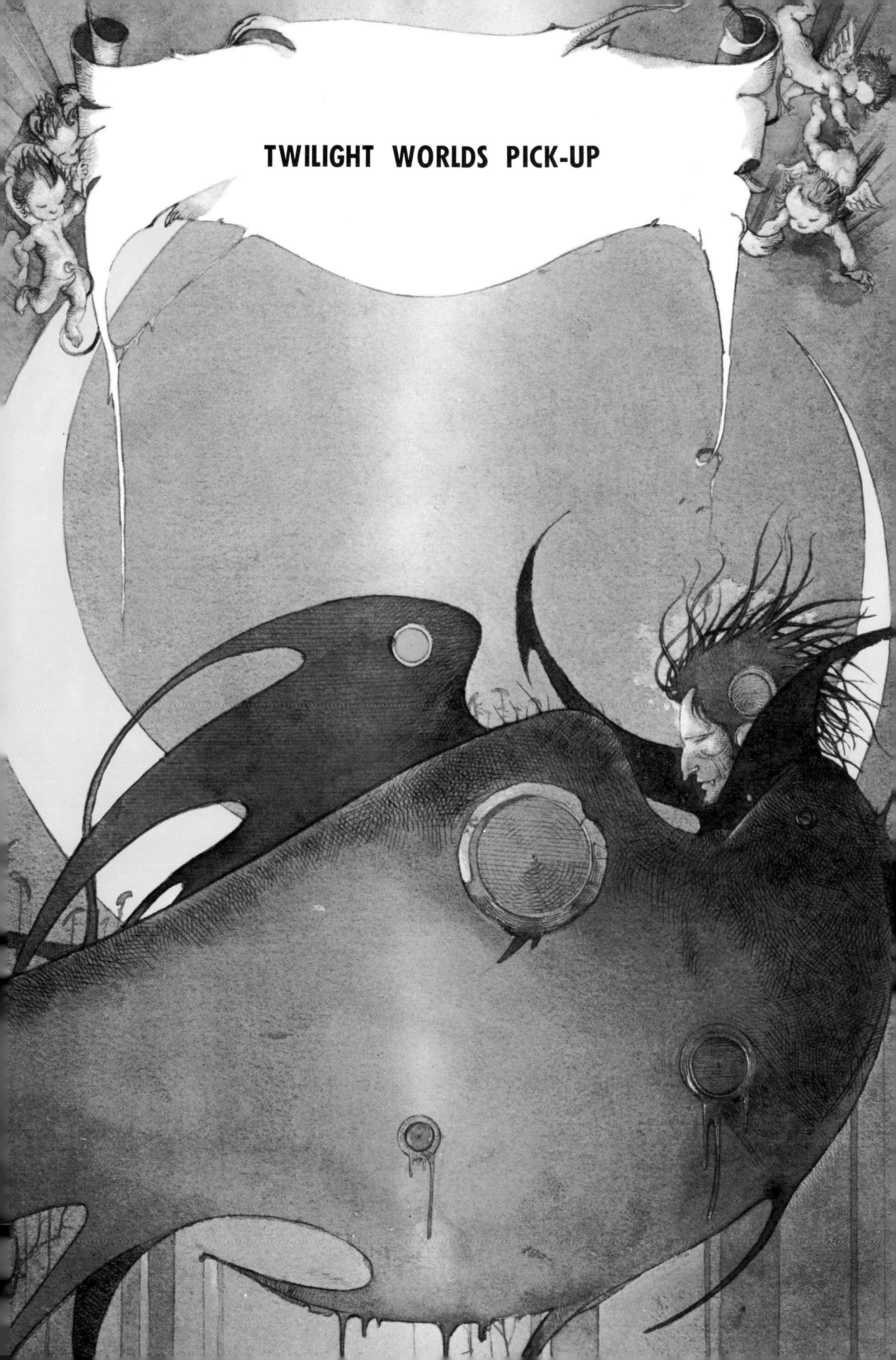
TWILIGHT WORLDS PICK-UP

TWILIGHT WORLDS PICK-UP

TWILIGHT WORLDS PICK-UP

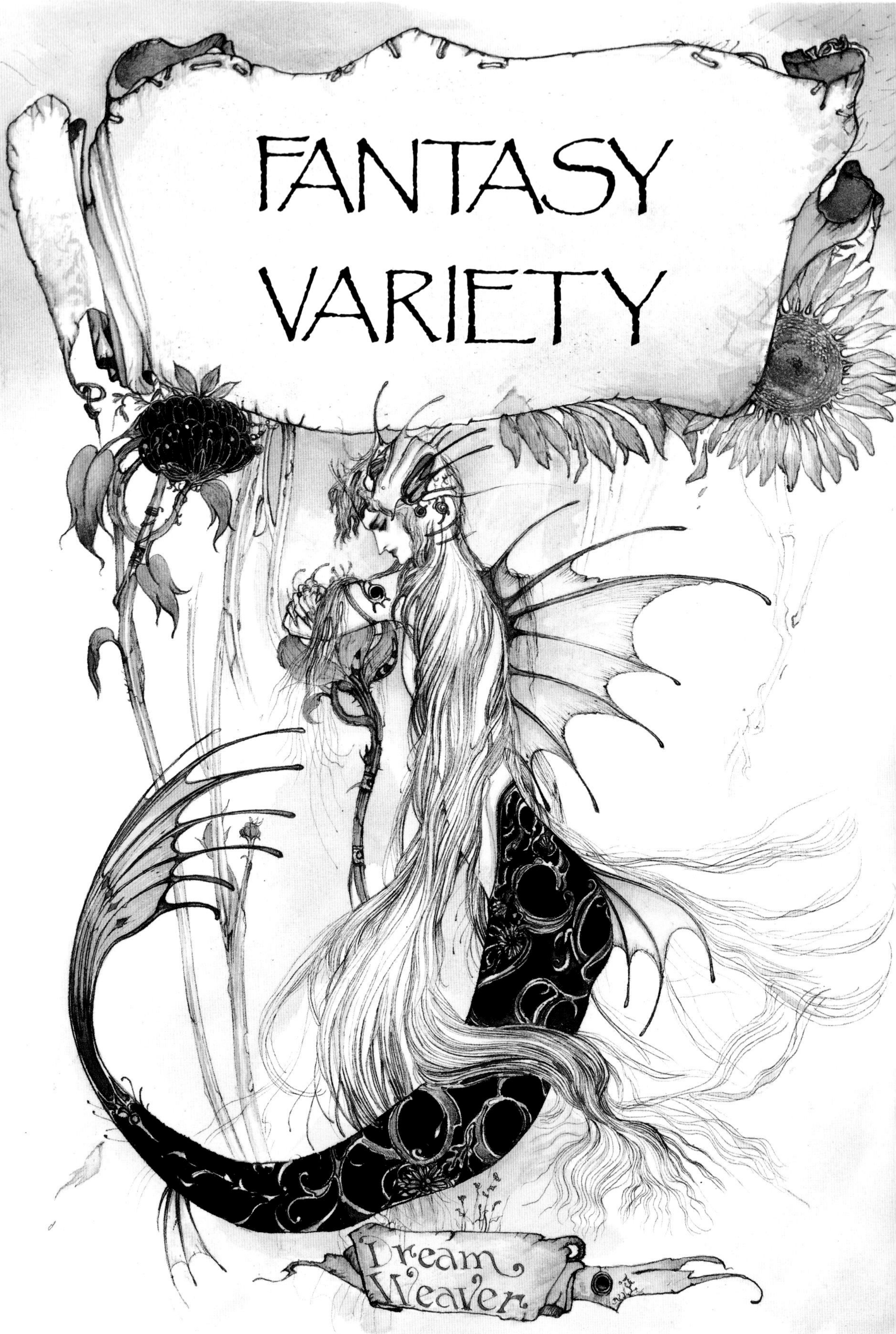
FANTASY
VARIETY
Dream
Weaver

M E M O R I A L

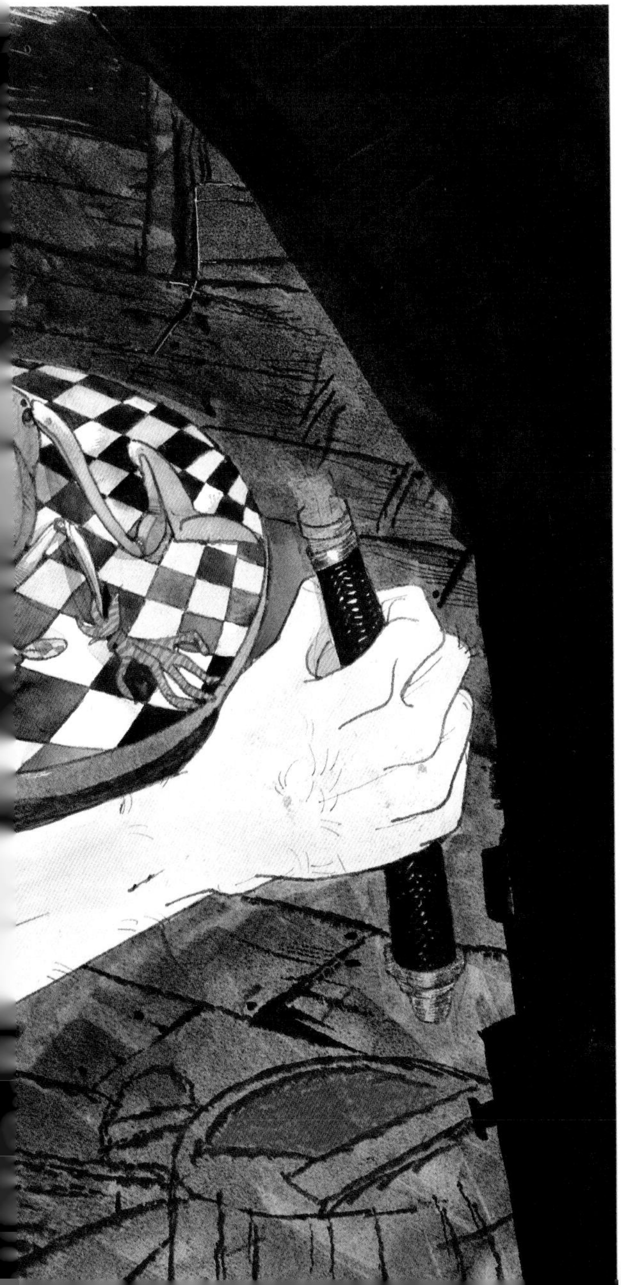

Circus

CINEMA DREAM

剣の騎士

E A R L Y　D R A W I N G

岩窟王

ラブ・ルネッサンス

地球物語

地球物語

地球物語

機甲創世紀モスピーダ　イエロー・ベルモント

魔境遊撃隊

地球物語

黒曜石の中の不死鳥

天使のたまご

IMAGE BOARD

A N I M A T I O N

天使のたまご

メフィストフェレス

白蓮都市ネフェルタ

魔境《カーフ》密命隊

巣

風立ちて〝D〟

風立ちて"D"

風立ちて"D"

吸血鬼《バンパイア》ハンター〝D〟

雄馬と剣

幻神惑星ナーガ

◀白蓮都市ネフェルタ

魔境《カーフ》密命隊

闇の太守

闇の大守

キマイラ魔王変

キマイラ菩薩変

魔境《カーフ》密命隊

グイン・サーガ外伝「闇と炎の王子」

69

グイン・サーガ外伝「氷雪の女王」

魔境遊撃隊

七百年の幻想

赤鉄王子と水晶王女の物語

地球物語

TWILIGHT WORLDS

SNOW WHITE MAKER

七人の小人と白雪姫

TWILIGHT WORLDS PICK-UP

RIDER

83

DREAMING TALK

89

ゲスト●坂東玉三郎さん

三次元のアートへ……

舞台と絵

――天野さんが挿絵を描かれたワーグナーのオペラ『トリスタンとイゾルデ』を先日、玉三郎さんに差し上げ、もともと幻想絵画に関心をもっておられた玉三郎さんが天野さんの絵に強く興味をもたれたということと、天野さんの、玉三郎さんへの人間的共感が、今回のお二人の対談という形で実現したわけですが、玉三郎さんは天野さんの画集『魔天』もご覧になっていらっしゃる。

玉三郎　ええ、すばらしかった。

天野　ありがとうございます。

玉三郎　ずいぶん早くから、十五歳位のときから描いてるっていうことは、若いんですよね。歳はぼくと同じ位?

天野　二十七年生まれです。

玉三郎　ぼくより二つ下。ぼくが二つ上です。

天野　いろいろ、あれを聞こう、これを聞こうって考えてたんですけどね。どうも。

玉三郎　どうぞ、気楽に。天野さんの絵って舞台装置になりそうなのがたくさんあるって感じました。すぐ自分の仕事のほうに引き寄せてるみたいで申しわけないんだけど。

天野　『トリスタンとイゾルデ』やった時に、いろんな舞台装置の資料を見たんですが、オペラの舞台って、かなり大胆なんですね。あれは、ちょっと驚きました。

玉三郎　そうですね。『トリスタンとイゾルデ』なんて特に。一つの曲線が空と床を区切っているだけみたいなものもあって。

天野　ぼくのやってたのがアニメーションで、絵でなんとかなっちゃうんですよ。映画と同じなんですけど、カメラが入りこんでしまえば、いくらでもできますからね。ところが、舞台の場合は一つの画面の中で、視点が決まっちゃいますよね。そういう規制がある分だけ、大胆になるのかなあ、と思ってますけど。

玉三郎　そう。その限られた空間の中で、舞台の人がどのくらいふくらませるかっていうのが面白さですね。イメージがない人だと、具体的にばかりなっていくけどふくらまないんですね。

天野　自分の描いた絵が、立体になったり、その中で動いたりするだけでもすごいなあ、と思いますね。玉三郎さんは、絵の世界の人が、そのまま現実に出てくる、現われてくるという、そういうイメージがあるんです。

玉三郎　とんでもない。そんなことないです。そうなりたいとは思っているんだけど。

天野　でも、ぼくなんかは絵を描いてて、目の前にあるイメージを描く作業なんですね、絵の中に。でも舞台に立っている状態っていうのは、紙の中にも入っているというような……。

玉三郎　うん、でも結果的には紙の中のこっち側っていうのを望むわけですよね。天野さんも。

天野　ええ……。で、絵の場合は残りますよね。良くても悪くても。

玉三郎　いいの、うちのほうは残らないから。(笑)自分のイメージでこう演ってね、こういう絵になったつもりで芝居しているわけ。でも…だから、ビデオなんかで見ると幻滅しちゃうわけです。自分のイメージばかり広がってってね、ビデオ見ると等身大のものが動いているだけだから。

天野　やっぱり違いますか。

玉三郎　例えばバレエの素晴しい舞台を見たりするとバレリーナの向う側を感じるのね。肉体はそのままの肉体でしかないんだけど、その人がイメージしているものが、こっちのイメージに入ってくる。だから、役者もイマジネーションがちゃんとしていないと、のびのびしていないといい舞台にならない。で、逆にいうと、そのイマジネーションを観客のイマジネーションに訴えたとき、そこに誤差があるところで、またおもしろいわけ。その誤差で、見るほうがもっとふくらませて見たりするから。そこで楽しむということでしょうけれど。

天野　ああ、観てみたいな。絵なんかでも、その世界があって、たまたまカメラのレンズがそこにあって、写したっていう状態の絵がいいなって思う

んですけど。その絵の中だけじゃなくて、フレームの外にも世界が感じられるっていう……。

玉三郎 うん。やっぱりそうですよね。

天野 それとあと、二次元の世界だから、その中にある世界だけでも、またおもしろいかな、と思うんですよね。

玉三郎 閉じこめてしまってね。

天野 ええ。

好きな画家はダ・ヴィンチ

玉三郎 ぼく絵ではね、ターナーが好きなんです。具象がちゃんとあって。イメージの中に具象がちょっと見えないとね、とっつきにくいんです。あるいは色がきれいだとかね。

天野 ええ、ぼくなんかでもそうでしょうね。確かに抽象画もいいと思うんだけれど、あ、この人はやればできるんだなっていうのがないと信用しないっていうか、本当に描けてこういうのをやるのか、それともそこから入っていくのか、あるいは、そういったものすら関係ないという世界かもしれないですけれど。

玉三郎 それと絵はロマンチックでないと楽しくない。ピカソの「ゲルニカ」見せられても、その絵がきらいっていうんじゃなくて、何か拒否反応がおきる。哲学とか悩んだりするのは普段の世界でやれるから。

天野 そうですね。絵っていうのは別になくても生きていけるんですからね。だから、ロマンチックなとこをやらないと——。

ぼくはダ・ヴィンチなんか好きですね。

玉三郎 もう、それは最高。ダ・ヴィンチはぼくも大好き。

天野 この前、テレビでルーブル美術館を紹介していて、ダ・ヴィンチの「モナ・リザ」をカメラが写しだしていて、それまで印刷物では見ていたわけですけど、違うんですね、テレビの解像力って。本物は見たこともないけれど、迫力があって。それと聖母マリアの絵を写し出していて、それを見たときも、あの微笑を見てたら涙が出てきましたね。何かジーンときちゃって。

玉三郎 「モナ・リザ」の本物を見るとね。正面から見てるのがテレ臭い。で、ふっと横を向いたり、離れて見たりしているんだけど、絵になんとなく、モワーっと、何ていったらいいんだろう。オーラみたいのがあるの。

天野 あ、オーラがそこから発散する。

玉三郎 うん。そんな気がした。はるばるルーブルまで来た、とは思わないんだけど、熱っていうか、あたたかさっていうか、そういうものを感じる。

天野 描いている人の状態みたいなものが。

玉三郎 そこにいるのね、きっと。でも、うれしいですね、ダ・ヴィンチが好きなんて。

天野 本物を見たことないので、あんまり言えないんですよね、はずかしくって。

デッサンは本物見たことあるんですけどね。水の動きを克明に描いたものの素描を見たこともありますけれど、流れがあるんですよ。

玉三郎 足の先をちょこちょこって描いてあったりするもので、すてきなものもありますね。スケッチブックに、こっち側に足があって、あっち側に腕があったり、鼻があったり、顔があったりして全体にバランスがとれていたりしてね。

天野 うまく文字が入っているとか。

原画を見てわかったことなんですが、デッサンのための小さな用紙にね、上のほうに雲が描いてあって、下が洪水の絵なんですね。で、家とか馬とか流されていて。雲はようく見ると模様が天使になっているんです。小さな紙にね、あれはもう異様な世界ですね。あの辺のこだわりっていうのは、ちょっと想像もつかない。

玉三郎 それでいて、大きいものも描くんですね。

ダ・ヴィンチは雰囲気というものを科学的に分析してたみたい。内緒で人の体もずいぶん解剖してるんですよね。もう何人も何人も……。解剖すれば、魂も再現できると思ったんじゃない？　きっと。肉体がどうして美しいかってことは切りさいてみなけりゃわからないって……。肉体の美しさ

なんて、ある意味では雰囲気なんでしょうけどね。で、筋肉がどうついているかなんて調べてみて、結局、美しさとはバランスの妙だ、なんていっている。

表現へのこだわり

天野　舞台に立って、緊張感がずいぶん必要だと思うけれど、気分転換っていうのはどういう風にされるんですか？

玉三郎　ぼくにとっては、友達としゃべることがいちばんいいんです。舞台のあと、何でもいいから自分を正当化したいの。こだわって生きてると疲れちゃってね。だから、わかってる友達に会いに来てもらって、どの位うまく自分を正当化できるかってのをやってもらう。それでストレスが流れるんですよね。それで気持が静かになってから、うまくいかなかった舞台は、この間のどこがいけなかった？　って聞いて。ここがまずかったんじゃない？　っていわれて。で、直して、結局消えてしまうものでしょ。だから、不安に思っているときに絵にしてほめてくれると、ホッと落ちつく。

天野　残るものっていうのは、そのときの状態の精神だけですからね、きっと。演技したものって残らないわけですよね。その時の状態が気持として残っているだけで。

ぼくなんかでも、一人助手がいるんですけど、描いてるときにほめてくれると、やる気になるんですよね。

玉三郎　絶対そうですよ。（笑）

天野　「あ、これはいい」、とかいわれると、「あ、そう？」とかいってね。結構よくなっちゃったりするんですよ。自信なくてもね。

で、考えてみると、子どもの頃、ぼくが二階で絵を描いていて、下に母がいるんです。で、描いたものを見せるんですよね、階段のところから。「出来たよう」とかいってね。すると、母が「ああ、いいね」とかいってね。今から思うと、見てないんですよ、でも「ああ、いいね」っていってくれて、そうすると、また二階へ上っていって、また描いて……。

玉三郎　でも、ずいぶん若いときから仕事してらっしゃるのね。

天野　ほとんど家出でしたから。

玉三郎　どこですか？　郷里《くに》。

天野　静岡です。

玉三郎　あ、うちの母が静岡で。じゃ、わりとのんびりしてるでしょう。

天野　ええ、そうです、そうです。一度住んだらなかなか抜けられないってとこらしいですね。

玉三郎　そうみたい、「まあ、あしたやるでよ」ってところ。十五歳のときからじゃ、学校は中学でやめてしまって……。

天野　一応、夜学行ったりしたんですけどね。

玉三郎　ぼくも、高校中退だから。

天野　十代まで、すごく勉強したんですよね。仕事で会社行って、アニメの絵を描く仕事ですけどね。で、時間から時間行って、帰ってきて、別のデッサンの勉強とかいろんな勉強して、それがすごく楽しかったんですよね。二十歳くらいまで。それから何か思いつめちゃって。

玉三郎　絵に？

天野　ええ、そうですね。異常なほど。例えば、細かい模写をするんでも、まったく同じものを描かないと満足できなくなってしまった。写真のようにね。ちょっとでも狂うと、もう投げ出しちゃうっていう状態で。一種、精神的におかしかったんでしょうね。そこまで思いつめちゃって、それからだんだん、そこまでやらなくていいんじゃないかって思って、勉強はそれくらいにしたんです。で、三十歳位から、これじゃ、もうダメだなあって思って、会社やめて、独立してイラストレーターになったんですけど。

玉三郎　どうですか、独立して。

天野　大変ですね。まあ、そんなわけで、玉三郎さんがすごい勉強をされている方だと人伝てに聞いて、ああ、これはすごいんだなあ、と思って何かを得ようと思って（笑）お会いしたかったんです。

玉三郎　とんでもないですよ。そんなもう。

泉鏡花の世界

左から坂東玉三郎さん、著者

――こんどの画集に泉鏡花の作品のイメージをとり入れたイラストレーションをお描きになるおつもりとか。玉三郎さんも鏡花はお好きな世界ですが。

天野　今までの挿絵を見ていると、忠実に描いてありますよね。物語なり情景なりに。で、ぼくはイメージで描いてみたいですね。

玉三郎　鏡花先生はぼくも大好きですけど、ぼくの『高野聖』のイメージはね、やっぱり具体的なものじゃないんです。冬、修行僧が読経しているときに吐く息とか、墨の衣からでているふくらはぎの筋肉とか、剃りたての衿足とか、そういうたぎっている青年たちが、ストイックに修行しているなかで、そのバランスから、パッと出てきたイメージなんだと思う。

天野　花火みたいに。

玉三郎　そう。だから、今まで映画とか芝居とかになっているものじゃないような。具体的にストーリーを追っていくものじゃない。

天野　『高野聖』の場合は、女と獣たちのからみみたいなものを描いてみたいと思ったんです。まず読んでみて。魑魅魍魎《ちみもうりょう》の世界。蛇が蛇じゃなくてもいいし、蛙が蛙じゃなくてもいい。

玉三郎　ええ。こういう絵の世界だったらやりやすいでしょうね。猿がうしろからパッとつかまるっていったら、舞台では具体的に猿の大きさで人間の比喩ができちゃうでしょ。いやでも。でも、それがない世界へいくわけだから。

天野　白い体に、おどろおどろしいものが絡まっていたら、かなり強烈な印象になるんじゃないかなって思うんですよね。

　で、鏡花の場合、文章のいろんな細かい描写の一つ一つが、文字で表現されてて、イメージがふくらむものだから、それはそれでもう完成されてるような気がするんですよね。だから映像でやる場合とかこんどのように絵で描く場合っていうのは、それを踏まえていながら、とっぱらっちゃって、自分でどう感じたかを表現するしかないと思う。ま、それが誤解だとされても……。

玉三郎　でも美しい誤解なら……、美しい誤解の方が素晴しいですものね。

天野　夢枕獏さんに言われたんですけど、原作は作者のイメージとはちがう、でも、これも一つのイメージであって、明らかにちがうんだけれども、これはこれでまた、同じもんだって。夢枕さんの『キマイラ吼』って話のことなんですけど。

玉三郎　どっちから見るか。

天野　そうですね。

ファンタジィと映画

玉三郎　ジョン・ブアマン監督の映画『エクスカリバー』とか『エメラルド・フォレスト』とか、ご覧になった？

天野　ええ、ありましたね。いいですねえ。

玉三郎　ね。あのね、リアルな映像であれだけやるっていうのは大変なことだと思うんですよ。空を飛ぶ馬の緊迫感を、実際に飛んでいるところを見せるんじゃなくて、パーッと馬が跳んだかと思うと、すぐカットして着地だけ見せて、イメージをこっちへくれるっていうの、すごく好きだった。

天野　映画の良さを知っている。映画だけの効果ですね。

玉三郎　湖からアーサー王の剣、エクスカリバーが浮び上がってくるところなんかも、具体的にやってくれるんだけど、実際にもうこれ以上できない、というところでパッとカットしてしまうところなんか、すてきだった。ラーンスロットが銀色の甲冑を身につけて森の中に現われるところも、光が輝いてきれいに出てきます。映画のリアルな映像でファンタジィをつくるとしたら、ああいうやり方が一つの方法だと思いますね。

天野　あと、ヴィスコンティの……ええと、何という題名だったかな……。

玉三郎　どんな筋でした？

天野　ええと、奥さんがいてね、浮気をしているんですけど……。

玉三郎　ああ、『イノセント』、最後の一番の作品だと思います。

天野　あのカット割りというか緊張感、すごいですね。

玉三郎　じゃ天野さん、ぜひ『ファニーとアレクサンドル』観なきゃ。ぼくは今日見てきたところなんですが、ゴーストがとってもうまく出てくるカットがありました。

　ファニーとアレクサンドルっていう子どもたちのお父さんが死んで、お母さんが牧師さんと再婚することになるんだけど、子どもたちに、「わたしたち再婚することになったのよ」って言うと、子どもたちが何となくたたずまいが悪いんです。それで、ウーンといってて、ふっと視線を向けるとお父さんが向うから歩いてくる……、白い背広着てね。で、次の一瞬にはすっといなくなっていて……、スーッと戦慄がはしる。映像としては、お化けのようでなく、その出し方がうまかった。

天野　間がいいですね、

玉三郎　ベルイマンは、特にその間がすばらしいですね。……ああいう映画、作りたいなぼく。

天野　あ、映画。

玉三郎　監督やりたいのね。あ、ぼく監督やるとき一緒にやってもらおう。絵コンテつくってもらうの。

天野　ええ、ぜひやらしてください。

玉三郎　うれしい。

天野　具体的にどうするかっていうのは、わかりませんけど、イメージだけはね。絵で表現できますから。

　で、それより何より、まず舞台を観せてもらわなくちゃ、と今、思っています。俳優としての玉三郎さんの前に個人としての玉三郎さんにまず、お会いしたいと思っていたんです。で、今はどんどん舞台を観てみたいという気持が強くなっています。

玉三郎　見なかったほうが良かったなんていわれたりして（笑）イメージが拡がってたのになんてね（笑）。

天野　いえいえ。楽しみにしています。

DREAMING TALK

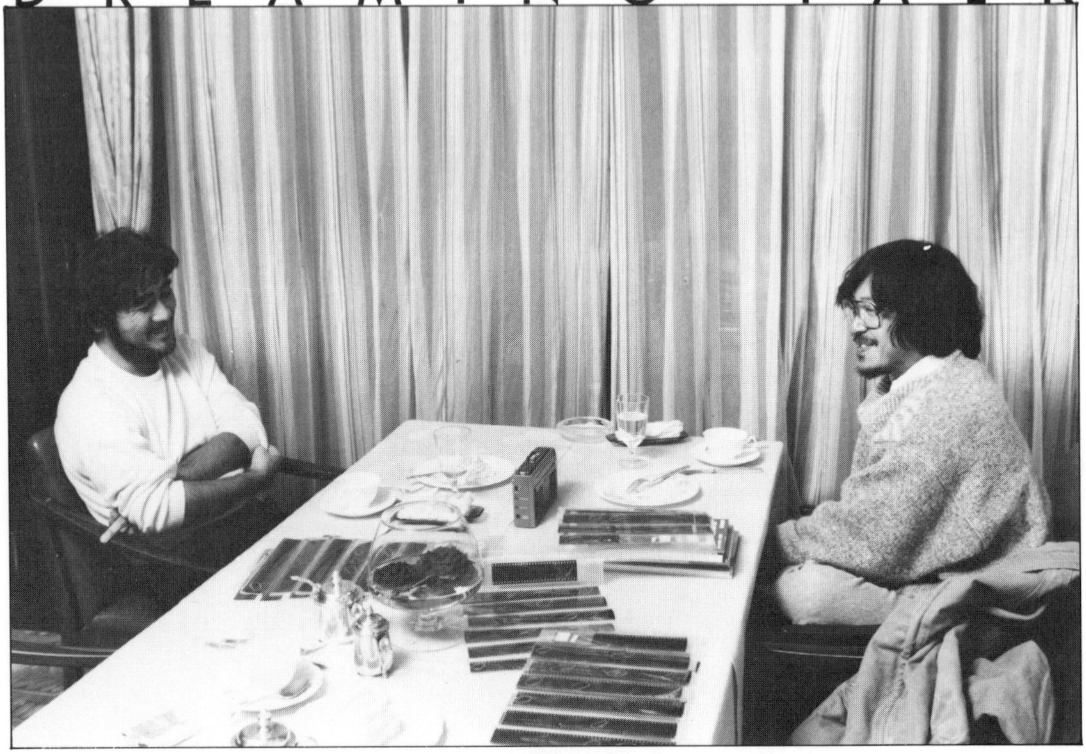

ゲスト●夢枕獏さん

作家のイメージから画家のイメージへ……

アニメとイラスト

——お二人の最初の出合いというのは夢枕さんの『キマイラ吼シリーズ』に天野さんが絵をつけられたときでしたか?

天野　指名していただいたんです。

夢枕　『キマイラ…』はやるときに、まだ何書くかなァって、はっきりわかっていなかったその段階で、もう天野さんがいいなと思って。『SFマガジン』で、ずっとイラストを描いていたんですよね、二色の。あれが好きだったんです、すごく。で、いつか、この人にしてくださいっていえるようなときになったら、頼もうと思っていたんですね。

天野　ぼくはアニメからきたので、とにかくはなれたいというのがありましてね。で、外国のものなら、どうにか、ごまかして(笑)できるんですけどね。『キマイラ…』の場合は、学園ものだから、あ、これは恐いなと思ったんです。へたすると一番楽なほうへ行ってしまうんじゃないかと。でも、そうじゃないもんっていうのを読んでいてだんだん感じてきたんですよね。

実生活からはなれた状況のほうが好きなんです。具体的な絵は描けないというか、なるべく描かないんですけどね。

夢枕　天野さんの場合は、ぼくが好きだったのは、アニメと全然ちがう線でしょ、イラストのときは。

天野　というか、ぼくの線はアニメでだめだったんですね。アニメにならないっていわれつづけて、それにずっと抵抗してて、ちょっと線にこだわりすぎちゃった。アニメというのは省略する作業ですからね。

夢枕　ああ、そうだったんですね。それで、もう、すごいなって思ってたんですよ。普通はセル画をそのままイラストのほうにもちこんじゃうようなイメージになってしまうんですけど。

天野　アニメでも、プレゼンテーションっていうのがあるんです。全体のイメージとか、ある場面を絵にして企画書にそえるという作業ですけど、こういう雰囲気になりますよってね。それを専門にやってたんですよね。で、なるべくアニメからはなれた絵をっていう感じで描いてたんですよね。

夢枕　そういうのは、タッチを生かせるわけですね。

天野　ある程度はそうですね。最初のイメージですから。そういうことをやっていて、あ、これはイラストレーションと似ているんではないか、と思いまして。

夢枕　もともと、そういう線だったということで納得がいきました。よく、アニメで横から見た鼻が正面にくるときに、どうするのかなって見てると、突然に変わったりしますよね。

天野　そうですね、イラストってのはそれがごまかせるけど。

夢枕　あと、鉄腕アトムの頭のこれ(注・夢枕さんは一生懸命、アトムの角のような部分をご自分の頭で描いて見せて)これですよ。これが右側ずれてんのか、左側ずれてんのか、という問題をいつも考えつづけてましたね、昔は。

天野　アニメでは三面図描くわけですね。前と横と後ろと、そうすると、やっぱり前と後ろとおんなじじゃないといけないんですよね、絶対。ところが、ぼくはそれができないんです。できなくても、むりやりやったんですけど。で、その反動で、今、イラストレーション描いてて、あまり、同じキャラクターって描きたくないですよね。(笑)だからシリーズやったら、もうどうしようもない。同じキャラクターでも、そのときどきに、いいなと思ったものを出さないと、ひきずれないんです。

夢枕　それに、覚えてないからね、こっちも。書くときに、例えば具体的にいうと、宇奈月典善という人が出たりすると、例えば身長が何センチって、初めちゃんとイメージを抱いて、身長まで自分の中で決めて、こういう服を着て、こういう靴をはいてってのを、ちゃんと決めて書くんですけどもね。二巻目を書くときはもう細かい数字は忘れてるんですね。身長は一メートル七〇センチ位だろうな、とは思うんだけどね。確認しないといけないんですよ。ところが、時間がないときは、その確認ができずに、そういう描写抜きで、宇奈月典善が出てきて、服装の描写も抜きで話が進んじゃったりすると、イラストを描く人は困っちゃいますよね。

天野　そんなことないですよ。
夢枕　そんなことないですか。
天野　獏さんのに関しては、そんなことないです。今ね、『キマイラ吼』で悩んでるのは、キマイラに完全になっちゃったら、どうなるんだろうと思って。絵にした場合、ちょっと恐いんですよね。なる前だったら、何かいくらでも出来そうな感じが、イメージがね、涌いてくるんだけど……。まだ全然わからないんですけどね、恐い、楽しみですね。
夢枕　それは、画家としては避けて通れない道というか（笑）、逃げるにしても、どう逃げるか楽しみですね、見ているほうでは。
天野　はっきりわからないってとこが、すごくいいですね。
夢枕　ピッチリとは書かないほうがいいかもしれませんね。
天野　ええ、素材としては。
夢枕　描くときは、顔の一部ぐらいを描いて、あとはシルエットみたいにするとか……そういうとこがいいんじゃないかな、と思いますね。
天野　あと、犬科なのかネコ科なのかとかね。あれは何ですか。
夢枕　いや、もうそのつど、ちがいますからね。そのときの状態で、爬虫類ぽかったり、犬みたいだったり。
天野　あ、そうか。爬虫類っぽいっていう、そういう感じもありますね。その辺がすごくいいんですよね。わからないところが。
夢枕　わかるように書くのは避けてんですよね。大まかに。
天野　そうしてください。（笑）。
　この前、おっしゃっていましたね。ある場面での登場人物の位置関係がみんな決まっているって。

文字と映像のイメージ

夢枕　誰がどこにいるかっていうのを、大体頭の中に入れないと書けないんですよ。ですから、五人位の男と一人の主人公と戦うときに、誰がどこにいて、誰がここにいてっていうのを全部決めて、それで一番前の男がとびかかってきて、やってるうちに次のこっちがきてっていうのを決めてやりますよね。
天野　ぼく一番、それを感じたんですよね。文章読んでて、位置関係が立体的によくわかる。それだけじゃなくて、匂いとか、そういうものもよくわかる。恐いなと思った。絵にするのがね、もうあるから。
夢枕　書きすぎてるから。
天野　いや、そんなことないですけどね。写真が好きなのと関係あるんでしょうかね。
夢枕　どうなんですかね。映画みたいなものと関係あるかもしれない。カメラの位置っていうか、目の高さも大体決まってたりするんですよね。ある場面を書いているとき、下のほうから見ているとかね。
　ですから、男の人が二人で、これは小田原の久野（注・夢枕さんがお住まいの地名）のほうへ歩いていく場面があるんですけどね、これは『キマイラ』じゃないですけど。そのときに、片っぽが背が低くて、で、片っぽが背が高くて、で、片っぽがコートを着ていて、職安通りですけどね（注・小田原の地名。同席者に場所のわかる者がいた）、あれをずっと歩いていくんですけどね。どっちといわれても困るんですけど、こっちの男が右で、こっちの男が左っていうのは、もう決まってるんですよね。書くときに。で、こっちの肩のあたりにネオンの色が映っているってとこまで大体浮かぶんです。で、時間があれば、ここに映っているネオンまで書くんです。ただ、時間がないと、それから枚数が限られてくると、肩に映っているネオンまでは書けなくて、二人が歩いていって、左側の男に話しかけたとか、そういう風に書くんですけどね。
天野　映像的にしっかりできている。
夢枕　ええ、ただ、できていないところもあるんですよね。それは、もうリズムで浮かんじゃう場所なんですね。文体とか、映像からこないで。ですから、格闘シーンで途中まではきちんとやってって、いきなり、ブン殴ったってことだけを四行位たてつづけに、ブン殴った、ブン殴った、ブン殴ったってやっちゃったりするんです。途中まで、ていねいに書いてきて、いきなり、ピッと走り出すと、かえって何か迫力が出たりすると、ぼくは

思うんですけどね。

天野　あのね、夢枕さんのほうで、美少年とかいって(笑)あれ困っちゃうんですよね。自分が美少年のつもりで書いてもね。他の人が見て感じなければね、文章はいいですよね。美少年って書けば……。

夢枕　そうですよ。大変ですよね。こっちは鼻の線がとおってきれいだと書けばいいんだけど、描くほうはね。

天野　文章でどんどんしつこくやってもらうと、その気になっちゃうんですよ。化物でもそうなんですけどね。適当に書いてあると、やっぱり適当に考えちゃうんですよね。やっぱりこだわりがあったほうがいいですね。アニメでもそうですが、いろいろなところでこだわりをもっているほうがいいものができる。

ヒマラヤのツル

天野　ヒマラヤに最近のぼられたとか。どの位の高さまでいらっしゃったんですか。

夢枕獏さん

夢枕　五〇〇〇メートル弱まで。ちょうど一カ月。寒いです。凍傷になりかけましてね。ずーっと足をひきずって、帰ってきたんです。

天野　すごい！　インドの奥のほうとかネパールのほうとかへもいらっしゃったんですか。

夢枕　寺院とか、あ、写真あるんですよ。ぼくが撮ったものじゃないんですけど。ミノルタのα-7000というのがいいカメラでね。ただ押すだけでいい露出を拾っちゃうんですよね。雪の中で人間を撮るのは補正がむずかしいから雪が黒っぽく写っちゃっていますけど。

天野　これ、すごいですね、銀河の絵みたいですね。

夢枕　おもしろそうなのを伸ばしておきましょうかね。何か使えそうなのがあるんじゃないですか。仏像とか。

天野　見たことないのがありますね。形も不思議だけど色も不思議ですね。

夢枕　ええ、平気で原色っていう感じがありますよね。何かまぜるとかいう世界ではないですね。中間色も原色感覚、赤、青、黄の原色っていうだけじゃなく、どんな色も原色っていう感じ。ペパーミント・グリーンだとね、「ペパーミント・グリーン」というまじりけのない色なんですね。

天野　先日、日光の東照宮へいったんですけど、あれは日本的っていうよりも何か東南アジア的な色彩をもってますね。原色感覚で、それでバランスがすごくいい。写真で見るとけばけばしいんだけど、実によく計算された色だなって感じたんですよね。

　東南アジアのお面もいいですね。一カ月もいらっしゃるとなると、かなりいろんなこともなさったわけですよね。

夢枕　いや、もうほとんど山の雪の中で、雪かきです。雪のために何もできなかったっていうか、そのかわり、雪が降らなければ体験できないような恐しいことも。

　本当はツルを見にいったんですよ。見れなかったんですけど。

天野　山の上にツルがいるんですか？

夢枕　向うの気候っていうのは、暑いときはハチャメチャ暑くて、雨がバカバカ降ってですね。ある日、突然パッと晴れわたるんです。日本の梅雨明

けよりも、もうちょっと晴れちゃうような感じで晴れわたる。
　モンスーンが終わって、ピャッと晴れちゃうんですよ。で、晴れると、ソデグロヅルというツルがシベリアから飛んでインドまでいくんです。そのときにヒマラヤの、八〇〇〇メートルちかい尾根をこえていくんです。そのコースが大体決まっていて、現在はっきり知られているのが、ぼくらのいったマナスルの黒岩というところです。日本が初登頂したところで、黒岩と呼んでいるんですが。
　ところが、晴れないでねえ。台風が来てたんですよ。ベンガル湾からサイクロンがヒマラヤ越えていったんですが、大分長い間いすわって、ヒマラヤの山中、荒してったんです。
　それで、明日は晴れるか、明日は晴れるかと思いながら待っていた。
天野　すごいですねえ、八〇〇〇メートルの山を。やっぱり列をなして越えていくんでしょうかね。
夢枕　ええ、もうガンとか何かが三角形の編隊つくっていきますね、ああいう感じですね。ビデオで一度見たんですけど、真青な空に絹の布をパッと投げたような感じで、形を変えながら飛んでいくんですね。向うは上空はすごい風が吹いてますから、三角がふくらんだりするんですね。そのふくらんだのが、またもとに戻ったり、戻りすぎちゃったりとか、すごいですよ。
天野　天気いいとね。本当に。
夢枕　雪のときはカメラ出すのも億却で、地上の低いところにいるぶんにはいいんですけどね。
天野　この写真は土地の人ですか？
夢枕　これはぼくです。
天野　あ、そうか、すいませんね（笑）。
夢枕　これはね、みんなシェルパだ、シェルパだっていうんですよね。
天野　どうもすいません。雪のときはどうなさってたんですか。
夢枕　みんなで集会テントに集まって、まじめな話をしたり、エロ話をしたり、男がやる話はみんなするんですよね。哲学的な話から何まで。

メルヘンとイラスト

天野　ツルの話で一つメルヘンができちゃいそうですね。
夢枕　ええ、そういうことも含めていったんですよね。
天野　やっぱり。初期の『こころほし　てんとう虫』のようなお話も、もともとお好きだったんですか。
夢枕　いや、いろんなの平行してやってたんですけど、たまたま、そのうちの一画だけがパッと売れて、それでそういう注文がくるようになったんで、時間の関係で『こころほし　てんとう虫』とか、オルオラネじいさんとかの話が書けなくなったんです。それでも、年に一回ずつとか書いていますけどね。
天野　『悪夢喰らい』ってありましたね、あれは短篇で、時期的にはいっぺんに書いたんじゃなくて。
夢枕　いろんな時期のが入っていますね。
天野　あれも、おもしろいですね。

著者

夢枕　あれも表紙やってもらったんですね。あれは好きなんです。ただ、なかなか書く機会がなくてね。

天野　あの辺が、幅になっているような気がしたんですけどね。関係ないことはないと思うんですよね。絶対にね、凝縮されたものが、ああいう短篇集に入ってるって気がしたんですけどね。

夢枕　ええ。先日原画を見る機会があったんですけれど、ああいう文庫の表紙の絵って、天野さんはかなり大きく描いているんですね。あれは細かいところがつぶれちゃうんじゃないですか。

天野　つぶれますね。

夢枕　大きな絵で見て、あ、ここにこういう線が、こういうグラデーションがあるんだな、というのがちゃんと見えてくると、また、ちがった印象になりますね。

天野　描いてるときっていうのは本になるってこと、あまり考えないで、絵を描くのを楽しんじゃうから。自分が一番描きやすい大きさになってくるんですよ。だから、やっぱり大きな絵で見たいという願望はあります。この画集もね、だから楽しみなんです。

全作品リスト

昭和55年

がんばれ！おしゃれママ（ジル）早川書房・10月

昭和56年

トワイライト・ワールズ（SFマガジン3〜11月号連載）
異星から来た妖精（S・L・エングダール）早川書房・2月
ムッシュ・パパ（P・コーバン）早川書房・3月
友情ある殺人（ロバート・L・フィシュ）早川書房・4月
竜神戦士ハンニバル＝大魔界シリーズ（田中文雄）早川書房・6月
神々の角笛＝ハロルド・シェイシリーズ（ディ・キャンプ&プラット）早川書房・7月
魔法がいっぱい！（R・F・ボーム）早川書房・11月
恋はポケットサイズ（V・レスティエンヌ）早川書房・11月

昭和57年

ビバ！ドラゴン（G・K・チェスタートン他）早川書房・1月
妖精郷の騎士＝ハロルド・シェイシリーズ（ディ・キャンプ&プラット）早川書房・1月
氷神女王アーシュラ＝大魔界シリーズ（田中文雄）早川書房・1月
パリ帰りの少女＝ルイジアナ物語（ドニュジュール）早川書房・1月
バガテルの夜明け＝ルイジアナ物語（ドニュジュール）早川書房・2月
戦火の中で＝ルイジアナ物語（ドニュジュール）早川書房・3月
再会の荒野＝ルイジアナ物語（ドニュジュール）早川書房・10月
移りゆく人々＝ルイジアナ物語（ドニュジュール）早川書房・12月
剣の騎士＝紅衣の公子シリーズ（ムアコック）早川書房・4月
剣の女王＝紅衣の公子シリーズ（ムアコック）早川書房・6月
剣の王＝紅衣の公子シリーズ（ムアコック）早川書房・10月
ラブ・ルネッサンス　マイアニメ1〜6月号連載
こんな男を選びなさい（丸山雅也）実業之日本社・4月
地球物語（大原まりこ他）早川書房・5月
地球物語（大原まりこ）マイアニメ7月号より連載
幻獣少年キマイラ（夢枕獏）朝日ソノラマ・7月
キマイラ朧変（夢枕獏）朝日ソノラマ・12月
岩窟王（A・デュマ）集英社・8月
こんな女を選びなさい（丸山雅也）実業之日本社・9月

悪夢の戦場（矢野徹）早川書房・10月

昭和58年

吸血鬼《ベンパイア》ハンター"D"（菊地秀行）朝日ソノラマ・1月
暗黒星通過！（J・W・キャンベル）早川書房・2月
死霊の都（タニス・リー）早川書房・3月
闇の城（タニス・リー）早川書房・6月
こんな相手を探しなさい（丸山雅也）実業之日本社・3月
鋼鉄城の勇士＝ハロルド・シェイシリーズ（ディ・キャンプ&プラット）早川書房・3月
英雄たちの帰還＝ハロルド・シェイシリーズ（ディ・キャンプ&プラット）早川書房・5月
エイリアン秘宝街（菊地秀行）朝日ソノラマ・5月
エイリアン魔獣境1（菊地秀行）朝日ソノラマ・11月
エイリアン魔獣境2（菊地秀行）朝日ソノラマ・12月
竜の眠る岸辺（山田正紀）双葉社・6月
インベーダー・サマー（菊地秀行）朝日ソノラマ・8月
カローンの蜘蛛＝トワイライト・サーガ（栗本薫）光風社・8月
永遠のチャンピオン＝エレコーゼ・サーガ（ムアコック）早川書房・9月
黒曜石の中の不死鳥＝エレコーゼ・サーガ（ムアコック）早川書房・10月
幻神惑星ナーガ＝大魔界シリーズ（田中文雄）早川書房・9月
キマイラ餓狼変（夢枕獏）朝日ソノラマ・9月
風の名はアムネジア（菊地秀行）朝日ソノラマ・10月
雄牛と槍＝紅衣の公子シリーズ（ムアコック）早川書房・12月
ピノキオ（C・コロディ）集英社・12月
金のがちょう　集英社
闇狩師1（夢枕獏）徳間書店
狂気の檻＝戦国魔人ゴーショーグン（首藤剛志）徳間書店
魔境物語（山田正紀）光風社・12月

昭和59年

雄羊と樫＝紅衣の公子シリーズ（ムアコック）早川書房・2月
雄馬と剣＝紅衣の公子シリーズ（ムアコック）早川書房・6月
魔獣学園1（清水義範）朝日ソノラマ・2月
魔獣学園2（清水義範）朝日ソノラマ・5月

エイリアン黙示録（菊地秀行）朝日ソノラマ・3月
エイリアン怪猫伝（菊地秀行）朝日ソノラマ・8月
エイリアン魔海航路（菊地秀行）朝日ソノラマ・12月
風立ちて〝D〟（菊地秀行）朝日ソノラマ・5月
モンスター伝説　朝日ソノラマ・5月
闇の太守（山田正紀）講談社・5月
妖神グルメ（菊地秀行）朝日ソノラマ・6月
キマイラ魔王変（夢枕獏）朝日ソノラマ・7月
キマイラ菩薩変（夢枕獏）朝日ソノラマ・10月
覚醒する密林＝戦国魔人ゴーショーグン（首藤剛志）徳間書店・8月
魔境遊撃隊上・下（栗本薫）角川書店・8月
愛と死の大地＝ルイジアナ物語（ドニュジュール）早川書房・9月
アモン・サーガ（夢枕獏）徳間書店・8月
闇狩師2（夢枕獏）徳間書店・10月
アラジンと魔法のランプ　集英社・8月
ダロス（鳥海永行）講談社・10月
ボヤズ・ヤキンのライオン（ラッセル・ホーバン）早川書房・11月
メルニボネの皇子＝エルリック・サーガ（ムアコック）早川書房・11月
この世の彼方の海＝エルリック・サーガ（ムアコック）早川書房・12月
天野喜孝画集「魔天」朝日ソノラマ・12月
私版愛人バンク（川上宗薫）双葉社・12月
銀河郵便は愛を運ぶ（大原まりこ）徳間書店
カナンの試練（栗本薫）光風社
幸運の守護神相性占い（廣斎堂）
SFワールド表紙1〜6月

昭和60年

白き狼の宿命＝エルリック・サーガ（ムアコック）早川書房・1月
暁の女王マイシェラ＝エルリック・サーガ（ムアコック）早川書房・4月
黒き剣の呪い＝エルリック・サーガ（ムアコック）早川書房・5月
ストームブリンガー＝エルリック・サーガ（ムアコック）早川書房・8月
サリアの娘＝グイン・サーガ（栗本薫）早川書房・2月
黒曜宮の陰謀＝グイン・サーガ（栗本薫）早川書房・5月
運命の一日＝グイン・サーガ（栗本薫）早川書房・9月
風のゆくえ＝グイン・サーガ（栗本薫）早川書房・12月

夢織り女（ジェイン・ヨーレン）早川書房・3月
エイリアン妖山記（菊地秀行）朝日ソノラマ・3月
青い宇宙の冒険（小松左京）講談社・3月
時の異邦人＝戦国魔人ゴーショーグン（首藤剛志）徳間書店・4月
獅子王表紙6月、8月、12月
少年ビッグコミック増刊号表紙〈夏・冬〉
幻術師ダンカン＝大魔界シリーズ（田中文雄）早川書房・7月
D-妖殺行（菊地秀行）朝日ソノラマ・7月
餓狼伝（夢枕獏）双葉社・7月
黄金の空隙（清水義範）みき書房・8月
トリスタンとイゾルデ（ワーグナー）新書館・8月
半獣神（夢枕獏）
闇狩師3・蒼獣鬼（夢枕獏）徳間書店・9月
妖霊ハーリド（F・M・クロフォード）早川書房・10月
キマイラ如来変（夢枕獏）朝日ソノラマ・10月
悪夢喰らい（夢枕獏）角川書店・10月
魔群の都市（菊地秀行）廣斎堂・10月
獣王伝（夢枕獏）みき書房・10月
魔術師の伝説　グレープフルーツ・10月・12月〜
天使のたまご（押井守）徳間書店・11月
スペシャル・ギャラリー　SFマガジン11・12月〜
少女季（あらきりつこ・押井守）徳間書店・12月

■その他のイラストレーション■

マイコンライフ
野性時代
SFマガジン
SFアドベンチャー
少年マガジン
アニメキャラクター・イラスト
関連商品イラストなど
映画館招待券〈相鉄ローゼン〉
筑波博・講談社館シンボルマーク
ポストカード（四種類）カローンの蜘蛛ポスター〈天プロ販売部・横浜市南区真金町2―22―1　ダイヤパレス401〉

LP

タイム・ボカンシリーズ〈ビクター〉
機甲創世紀モスピーダ〈ビクター〉
ダロス〈ビクター〉
亜空要塞スラングル〈ビクター〉
エイリアン魔獣境〈日本コロムビア〉
キマイラ吼1〈日本コロムビア〉
キマイラ吼2〈日本コロムビア〉
グイン・サーガ戦乱篇〈日本コロムビア〉
グイン・サーガ・グラフティ〈日本コロムビア〉
戦国魔人ゴーショーグン〈徳間ジャパン〉
魔境遊撃隊〈キャニオン〉
銀の翼〈キング〉

ビデオ、レーザーディスク

街角のメルヘン〈キティ・フィルム〉
ダロス〈エモーション〉
機甲創世紀モスピーダ〈竜の子プロ〉
天使のたまご〈徳間ジャパン〉
地球物語〈ビクター〉
吸血鬼ハンター〝D〟〈EPICソニー〉
アモン・サーガ〈東映ビデオ〉
教材用ペールギュント〈NHK〉
輸出用ビデオ・ゲーム〈学研〉
時の異邦人＝戦国魔人ゴーショーグン〈徳間ジャパン〉

●初出一覧

カラーイラストレーション

カバー絵　描きおろし
折込みポスター　夜叉ケ池　描きおろし
扉絵　描きおろし
目次　SFワールド表紙　双葉社
海神別荘　描きおろし　3～5頁
高野聖　描きおろし　6、7頁
夜叉ケ池　描きおろし　8、9頁
（折込みポスター及び3～9頁は泉鏡花の小説のイメージによる）
トリスタンとイゾルデ　カバー絵・口絵　新書館　10、11頁
この世の彼方の海　カバー絵　早川書房　12頁
妖霊ハーリド　カバー絵　早川書房　13頁
闇の城　カバー絵　早川書房　14頁
吸血鬼ハンター〝D〟朝日ソノラマ文庫本フェア用ポスター　15頁
キマイラ吼　久鬼麗一　レコード用ポスター　日本コロムビア　16頁
トワイライト・ワールズシリーズ　SFマガジン連載　早川書房　17～32、73～87頁
夢織り女　早川書房　33頁
ピノキオ　未発表　34、35頁
映画館招待券　相鉄ローゼン　36頁
剣の騎士　早川書房　37頁
ラブ・ルネッサンス　マイアニメ　秋田書店　38頁
地球物語　マイアニメ　秋田書店　38、39、42、43頁
機甲創世紀モスピーダ　ビクター　40頁
魔境遊撃隊　角川書店　41頁
黒曜石の中の不死鳥　カバー絵　44頁
早川書房
天使のたまご　アニメージュ文庫カバー絵、アニメ設定原画　徳間書店　45～47頁
メフィストフェレス　グループフルーツ第25号カレンダー　新書館　48頁
天ちゃんさわぎ　扉絵　88頁

モノクロイラストレーション

白蓮都市《カーフ》ネフェルタ　早川書房　49、61頁
魔境密命隊　小説推理連載　双葉社50、60、68頁
巣　SFマガジン早川書房　51頁
風立ちて〝D〟朝日ソノラマ　52～54頁
吸血鬼ハンター〝D〟朝日ソノラマ　55頁
剣の騎士　早川書房　56頁
雄牛と槍　早川書房　57、62～63頁
雄馬と剣　早川書房　58～59頁
幻神惑星ナーガ　早川書房　59頁
闇の太守　講談社　64～65頁
キマイラ魔王変　朝日ソノラマ　66頁
キマイラ菩薩変　朝日ソノラマ　67頁
グイン・サーガ外伝・闇と炎の王子　早川書房　68頁
グイン・サーガ外伝・氷雪の女王　早川書房　69頁
魔境遊撃隊　角川書店　70頁
七百年の幻想　SFマガジン　早川書房　71頁
赤鉄王子と水晶王女の物語　SFマガジン　早川書房　71頁
地球物語　マイアニメ　秋田書店　72頁

天野喜孝（あまの・よしたか）
1952年　静岡市に生まれる。
1967年　竜の子プロダクション入社。アニメーションのキャラクター設定を担当する。
1981年　イラスト界にデビュー。
1982年　竜の子プロを退社し、自身の天プロダクションを設立する。
1983年　第14回星雲賞受賞
1984年　第15回星雲賞受賞
1985年　第16回星雲賞受賞
『キマイラ吼』『吸血鬼ハンターD』『グイン・サーガ』などのさし絵をてがけるとともに、絵本『トリスタンとイゾルデ』(新書館)、『天使のたまご』(徳間書店)、画集『魔天』(朝日ソノラマ) などを刊行。

幻夢宮

1986年2月10日＊初版発行Ⓒ　定価1600円
1986年11月10日＊第3刷
著　者＊天野喜孝
装　幀＊宇野亜喜良
発行人＊坂本洋子
発行所＊株式会社新書館
東京都文京区千石1－21－7
電　話 (03)946－5331　振替・東京4－53723
FAX (03)946－5335
印　刷＊共同印刷・壮光舎印刷
製　本＊大日本製本

ISBN4-403-01029-6